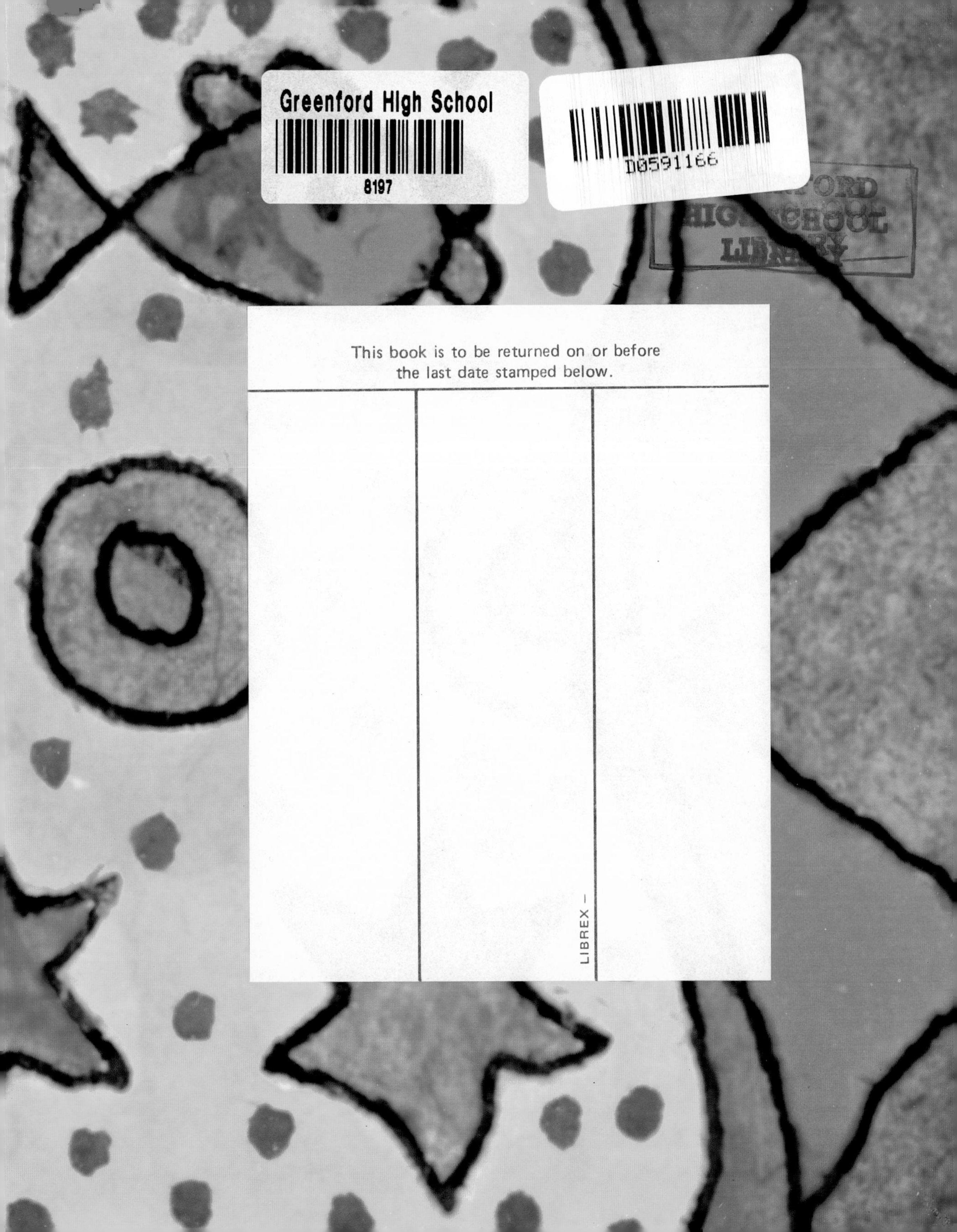
Greenford High School
8197
D0591166
HIGH SCHOOL
LIBRARY
This book is to be returned on or before
the last date stamped below.
LIBREX –

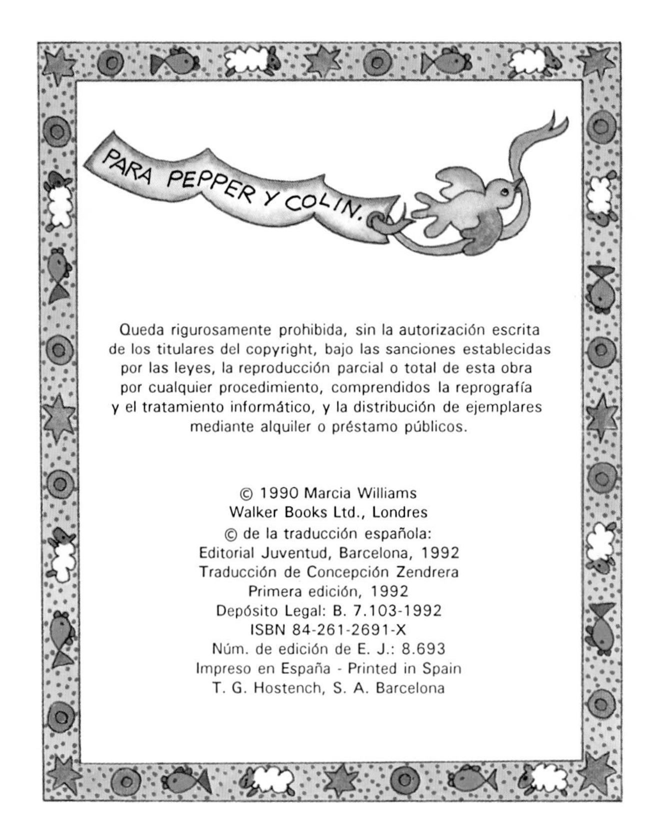

Traducción de Concepción Zendrera
Primera edición, 1992
Depósito Legal: B. 7.103-1992
ISBN 84-261-2691-X
Núm. de edición de E. J.: 8.693
Impreso en España - Printed in Spain
T. G. Hostench, S. A. Barcelona

y su
MAGNÍFICA TÚNICA DE MUCHOS COLORES

Adaptación e ilustraciones de

Marcia Williams

EJ

EDITORIAL JUVENTUD

Hace mucho tiempo, vivía en tierras de Canaán
un granjero llamado Jacob.
Jacob tenía doce hijos,
pero al que más quería era a José.
FELIZ
17avo
CUMPLEAÑOS
Jacob regaló a José una magnífica túnica de muchos colores,

que hizo morir de envidia a sus hermanos.
Papá no nos quiere.
¿Qué verá papá en él?
Es demasiado larga.
Tenía que haber sido mía. Yo soy el mayor.
¡Está ridículo!
Escuchad, no os enfadéis. Quiero contaros mis sueños.
No querían hablar con él, ni escucharle
¡No queremos!
¡Escuchad, por favor!
cuando intentaba contarles sus sueños.
¡Sentaos y no os mováis!
Pero su padre les obligaba a dejarle hablar.

En el primer sueño de José,

él y sus hermanos estaban atando gavillas en el campo.

En su sueño, la gavilla de José se enderezaba

y las de sus hermanos se inclinaban ante ella.

En el segundo sueño de José,
el sol, la luna y once estrellas
se inclinaban ante él, como si fuera un rey.
El padre de José creía que los sueños significaban
No hemos de olvidar estos sueños.
que José llegaría a ser un gran jefe.

Los hermanos de José estaban rabiosos,
La túnica tiene la culpa. Se le ha subido a la cabeza.
¡Estúpido soñador!
Está pagado de sí mismo.
Nuestro hermano, un gobernante... ¡Tonterías!
no querían ser gobernados por José.
¡Venid, larguémonos de aquí!
Furiosos, se fueron a pastorear las ovejas de su padre.
Irás a verlos.
Pero Jacob envió a José tras ellos para poner paz.

Los hermanos vieron a José que se acercaba.
¿Quién se cree que es?
¡Ahí viene el favorito!
Yo quiero su túnica.
¡Lástima que no haya leones por aquí!
¿Tú crees que sabría bien?
«Matemos al soñador», decían unos a otros.
«Podemos decir que una fiera se lo ha comido.
Así nuestro padre nos hará más caso.»

Pero uno de sus hermanos, llamado Rubén,
¡BASTA!
¡Chicos!
convenció a los demás de que no le mataran.
Pero le quitaron su magnífica túnica
¿Qué tal me va?
¡SOCORRO!
y lo echaron a un pozo seco.

Luego, a mediodía, cuando se sentaron a comer,

vieron una caravana de ismaelitas con sus camellos

cargados de especias para venderlas en Egipto.

Los hermanos decidieron venderles a José
Serás un precioso esclavo.
PLATA
a cambio de veinte siclos de plata.
¡No me puedo quedar con la bonita túnica!
Entonces, mancharon de sangre la bonita túnica de José
y volvieron a casa de su padre.

A Jacob se le partió el corazón al ver la túnica.
Creyendo que José había sido devorado por una fiera,
¡Anímate, papá!
¡Tienes que comer!
se vistió de saco y lloró a su hijo favorito.

En Egipto, José fue vendido como esclavo
ESCLAVOS EN VENTA
a Putifar, capitán de la guardia del Faraón.
Te has convertido en un gran hombre, José. Yo te pongo al frente de mi casa.
Pero el Señor ayudaba a José, y le fue bien,
hasta que un día disgustó a la mujer de Putifar.
Ella, injustamente, hizo que lo metieran en la cárcel.

José pasó dos largos años en la cárcel.
Oye, José, ¿en qué sueñan las ratas muertas?
Los otros presos le querían y respetaban,
porque sabía interpretar sus sueños.
Pero José se encontraba solo y triste lejos de su país.

Luego, quiso la suerte que, una mañana, al Faraón
Puede que haya sido el vino.
¡Hoy no acertamos una!
le dejaron preocupado dos extraños sueños.
Sus adivinos y sus sabios no sabían interpretarlos,
Ven, tú, el Faraón te llama.
¡Así estás mejor!
¿Me puedes ayudar?
Con la ayuda de Dios.
así que sacaron a José de la cárcel
y le pidieron que los interpretara.

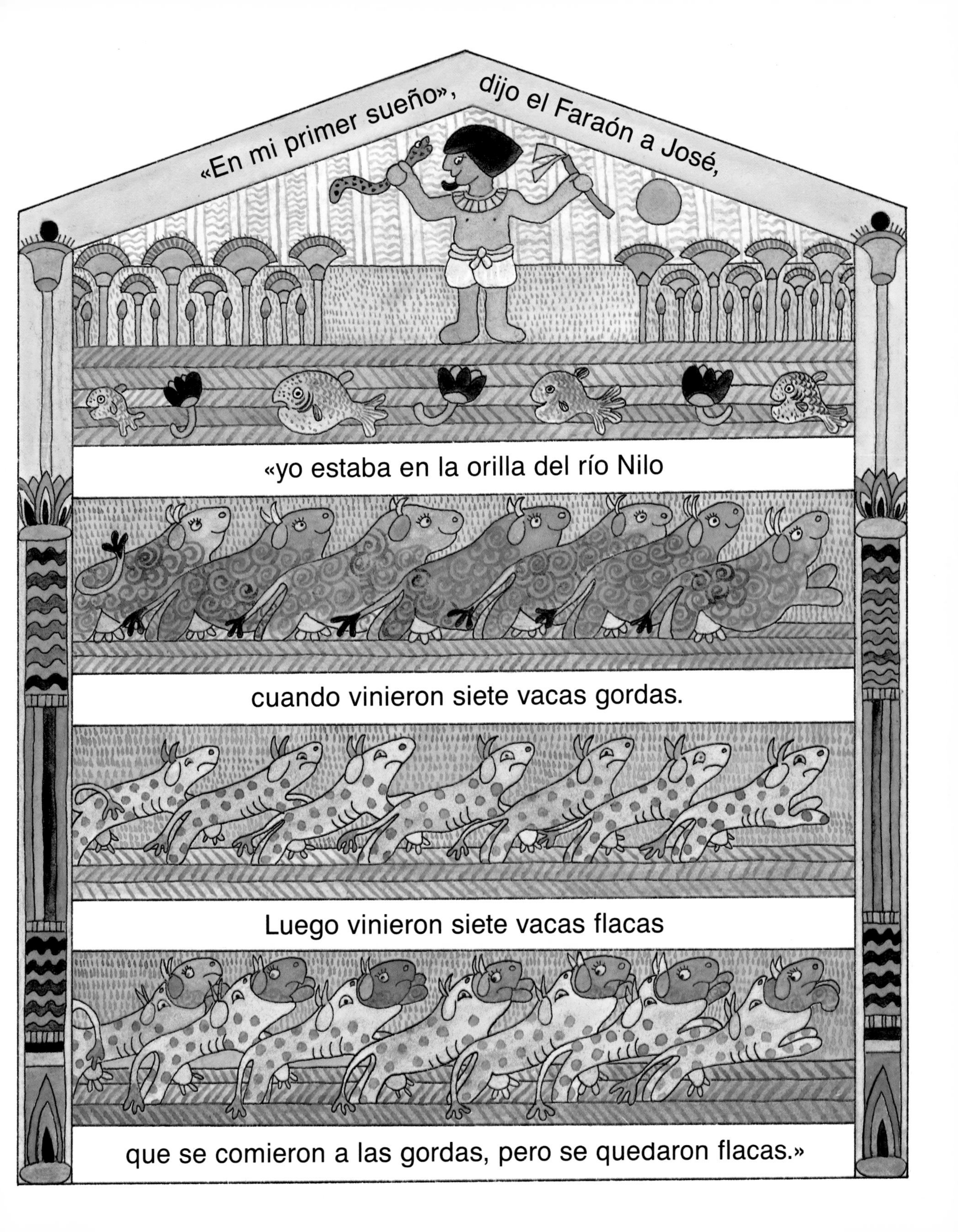
«En mi primer sueño», dijo el Faraón a José,
«yo estaba en la orilla del río Nilo
cuando vinieron siete vacas gordas.
Luego vinieron siete vacas flacas
que se comieron a las gordas, pero se quedaron flacas.»

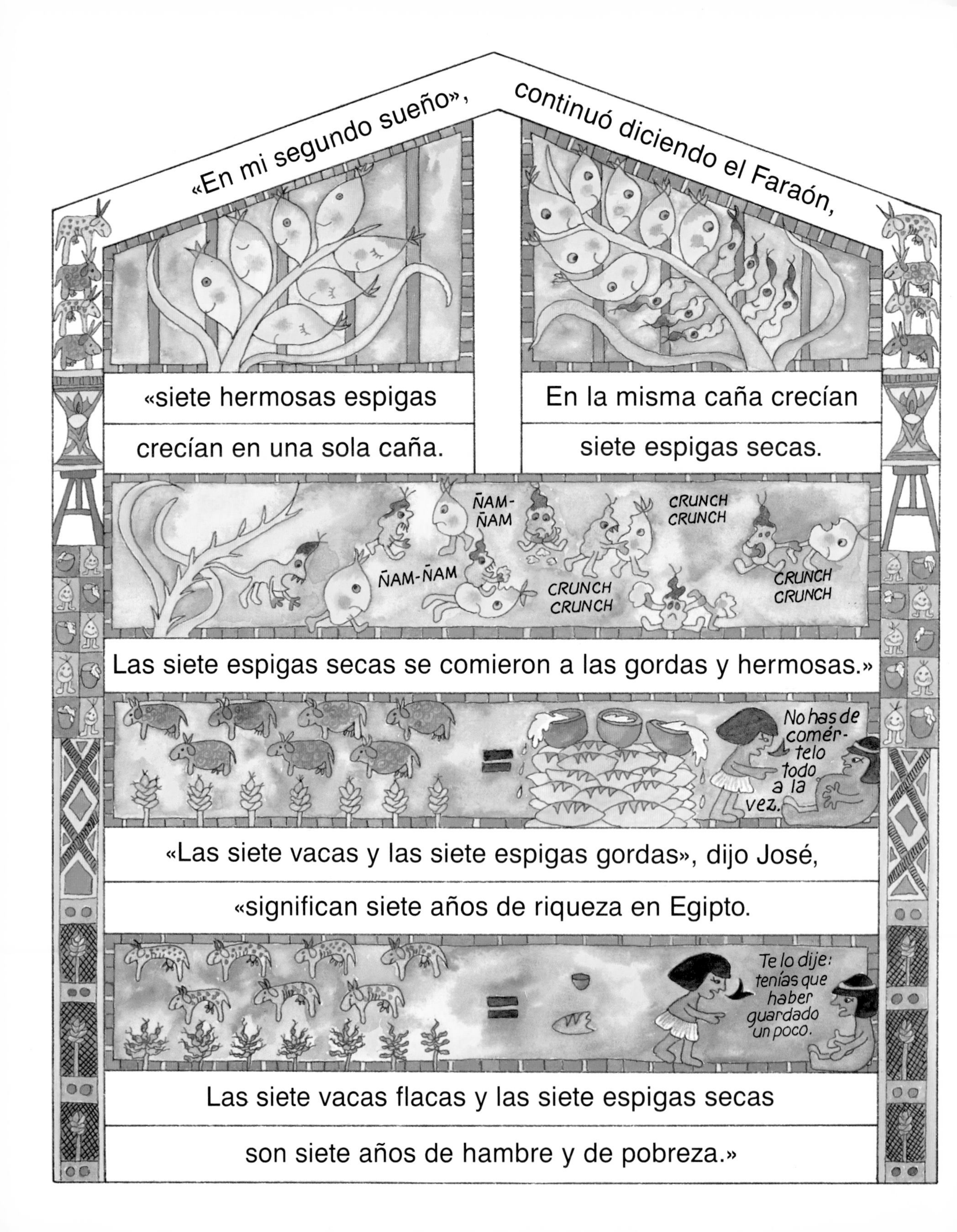
«En mi segundo sueño»,
continuó diciendo el Faraón,
«siete hermosas espigas
crecían en una sola caña.
En la misma caña crecían
siete espigas secas.
ÑAM-ÑAM
ÑAM-ÑAM
CRUNCH CRUNCH
CRUNCH CRUNCH
CRUNCH CRUNCH
Las siete espigas secas se comieron a las gordas y hermosas.»
No has de comértelo todo a la vez.
«Las siete vacas y las siete espigas gordas», dijo José,
«significan siete años de riqueza en Egipto.
Te lo dije: tenías que haber guardado un poco.
Las siete vacas flacas y las siete espigas secas
son siete años de hambre y de pobreza.»

«Así Dios os ha contado
lo que piensa hacer.
¿Conocemos a algún hombre sabio?
Debéis buscar un hombre inteligente y sabio
para almacenar alimentos durante los años de abundancia.
¡Tengo hambre, papá!
Gracias a Dios que tenemos los graneros.
Así Egipto no perecerá en los años de hambre.»

El Faraón quedó tan admirado de la sabiduría de José,
Tú eres el hombre más sabio que conozco.
¿Y yo qué, no soy sabio?
que le puso a él al frente del almacenamiento.
No es una idea acertada, la del Faraón.
Le dio a José su anillo, y un collar de oro,
hermosos vestidos y un espléndido carro.
José fue gobernador de todo Egipto.

José se casó con Asenet y tuvo dos hijos.
Un hombre de Dios.
Un hombre de bien.
José es nuestro salvador.
El mejor gobernador que nunca hemos tenido.
Fue honrado por todo Egipto.
Esto tiene diferentes posibilidades.
Hizo construir muchos graneros
y almacenó grandes cantidades de trigo.

Pasaron los siete años de abundancia,
¡Yo también!
¡Tengo hambre!
y llegaron los siete años de escasez en Egipto.
Venid, no os peleéis. Hay suficiente para todos.
José abrió los graneros.
La gente venía de todas partes a comprar trigo,
pues el hambre había llegado a muchas tierras.

En Canaán, Jacob y su familia estaban sin nada.
¡¡Estoy arruinado!!
No hay nada para cenar.
He oído decir que hay trigo en Egipto.
Cuando Jacob oyó decir que se vendía trigo en Egipto
Vigilad que Benjamín vuelva sano y salvo, y hasta pronto.
envió a sus hijos a comprar un poco.
Mis sueños se han hecho realidad.
En Egipto, los hermanos llegaron donde José.
José los reconoció, pero ellos no le conocieron a él.

José acusó a sus hermanos de espías
¡Habéis venido a espiar las defensas de Egipto!
¡NO!
para saber si todavía eran tan malos.
Hizo ver que tomaba al pequeño Benjamín como esclavo.
Sus hermanos estaban desesperados.
¡Tú serás mi esclavo!
Si perdían a Benjamín, le romperían el corazón a su padre.

Los hermanos propusieron quedarse como esclavos de José para que dejara libre a Benjamín.

José vio que sus hermanos habían cambiado. Supo que amaban a Benjamín y a su padre y que hubiesen dado su vida por él.

Así, con gran alegría, José devolvió la libertad
a sus hermanos y se dio a conocer.
Volveremos lo antes posible.
Aconsejó a sus hermanos que volvieran a Canaán
¡Ahí vienen, José!
¡Por fin!
a buscar a sus familias y a su padre
para que todos pudieran vivir juntos en Egipto.

José dio la bienvenida a Jacob, su padre,
con una gran fiesta.
Sólo lo mejor para la familia de José.
No veo mucha hierba.
Tienes que esperar a que acabe la escasez.
El Faraón dio a Jacob y a los suyos ricas tierras donde vivir.
Nuestro héroe
Dios sea loado
¡José! ¡José!
Qué grande
Campeón
Héroe
Joya
Dios te bendiga
Hermano
Sabio
José
Al cabo de siete años terminó el hambre.
El pueblo había sobrevivido
gracias a Dios, que había traído a José a Egipto.